zwaard
ridder
jonkvrouw
ophaalbrug
gracht

AVI:	E4
Leesmoeilijkheid:	niet-klankzuivere tweelettergreepwoorden eindigend op -er en -el (ridder, sabel)
Thema:	ridders

Zwijsen

Martine Letterie

Ik wil later ridder worden

met tekeningen van Hugo van Look

Naam: *Warner*
Ik woon met: *mijn vader, moeder en Merel*
Dit doe ik het liefst: *ridder spelen!*
Hier heb ik een hekel aan: *pesten*
Later word ik: *ridder*
In de klas zit ik naast: *Sas en Abel*

1. Een kasteel voor Warner

Het is woensdag.
Abel komt zo bij Warner.
Ze gaan samen spelen.
Dat doen ze wel vaker op woensdag.
Abel is Warners beste vriend.
Ze kennen elkaar al vanaf groep 1.
Warner staat voor het raam te wachten.
Dan ziet hij Abel de straat in komen.
Warner rent naar de deur om open te doen.
'Waar bleef je nou?' roept hij.
'Ik heb een leuk plan.
We gaan ridder spelen.
Zie je deze dozen?
Mijn moeder nam ze mee van haar werk.
We bouwen er een kasteel van.'
Abel knikt blij: 'Goed plan!'
Samen slepen ze de dozen naar buiten.
'Daar op de heuvel in het park,'
wijst Abel.
'Dat is een mooie plek!'
Dat vindt Warner ook.
'Daar kun je de vijand
goed zien aankomen!'
De jongens slepen de dozen de heuvel op.

Blij kijkt Warner om zich heen.
'Ridders zouden dit een goede plek
voor een kasteel vinden.'
'Ja,' zegt Abel.
'Hier heb je goed uitzicht.'
Hij maakt een stapel van drie dozen.
'Dan is dit de toren.'
Warner maakt nog een stapel.
Hij zet die er vlak naast.
'Zo hebben we een poort.'
Zonder te praten, werken ze heel hard.
Het wordt een prachtig kasteel.
Abel raapt een grote tak op.
'Dit is mijn sabel!'
Warner schudt zijn hoofd.

‘Ridders hebben zwaarden, geen sabels.
Sabels zijn veel dunner.
Zal ik thuis mijn zwaarden halen?
Pas jij intussen op het kasteel.’
Warner rent de heuvel af.
Wat is het gaaf om ridder te spelen!
Een leuker spel is er niet.
Hij haalt zijn zwaarden
uit de kist in zijn kamer.
Dan rent hij terug de heuvel op.
En hij doet alsof hij op een paard zit.

‘Ihi, ihi!’ roept hij.
Abel kijkt verbaasd.
‘Wat doe je raar!’
Warner lacht: ‘Dat doe ík niet!
Dat is mijn paard dat hinnikt.
Hier heb je een zwaard.
Ik val je aan!’

2. Wat wil je later worden?

Warner zit op school naast Abel en Sas.
Ze zijn aan het werk, voor taal.
Maar Warner denkt aan iets anders.
Hij denkt aan het kasteel van gister.
Wat was dat fijn spelen!
'Berg de schriften maar op,' zegt juf.
'We stoppen met taal.
We krijgen zo een gast in de klas.
Mijn buurman komt over zijn baan praten.'
Abel kijkt in het schrift van Warner.
'Jij hebt ook nog niet veel gedaan!'
Warner krijgt een rood hoofd.
'Ik moest de hele tijd
aan ons kasteel denken.'
'Dat snap ik,' zegt Abel.
'Het was ook leuk.'
Dan komt er een agent de klas in.
Een echte agent, met een pet op.
'Ooh,' zegt Abel.
'Wat stoer!'
Sas kijkt Abel en Warner aan.
'Dat wil ik later ook worden, agent.'
De agent tikt met zijn hand tegen de pet.
'Dag juf, hier ben ik.'

De juf steekt haar hand uit.
'Dat is fijn, buurman.'
Dan draait ze zich om naar de klas.
'Vandaag gaan we praten over werk.
Mijn buurman is agent.
Maar je kunt ook iets anders worden.
Wie weet al wat hij later wil worden?'
Heel veel vingers gaan de lucht in.
'Ik word later ook agent,' roept Sas.
De agent lacht: 'Dat is mooi.
Ik zal jullie straks meer
over mijn werk vertellen.'
Dan wijst hij een kind aan.
'Wat wil jij later worden?'
'Boer,' zegt de jongen trots.
'Mijn oom is dat ook.
Hij heeft koeien en schapen.
Bij zijn boerderij
heeft hij een boomgaard.
Aan de bomen groeien mooie appels.
Die wil ik later ook.'
'Dat is mooi,' zegt de agent.
'En jij?'
Nu wijst hij een meisje aan.
'Ik word later dokter in een ziekenhuis.
Dokters maken mensen beter.'

‘Dat is een mooi beroep,’ vindt de agent.
Dan wijst hij naar Warner.
Dat is raar.
Want Warner had zijn vinger niet omhoog.
Maar hij weet best wat hij wil worden.
‘En jij?’ vraagt de agent.
‘Ik wil later ridder worden,’
zegt Warner.
Alle kinderen beginnen hard te lachen.
Moet de agent ook lachen?
Even lijkt het zo.
Maar dan hoest de agent hard.
Hij krijgt een rood hoofd.
‘Haal maar even een glaasje water,’
zegt juf tegen Warner.
Hij loopt snel naar de kraan.
Hij vindt de kinderen die lachen
maar stom.
Zo gek is het toch niet,
dat hij ridder wil worden?

3. Een echt kasteel

Warner zit met mam aan het ontbijt.
Zijn zus Merel en pap zijn al weg.
Merel zit op paardrijden.
En vandaag is er een wedstrijd.
Warners moeder neemt een slok thee.
'Zullen wij vandaag ook iets leuks
gaan doen?'
Warner wipt op zijn stoel: 'Ja!'
'Ik weet een mooi kasteel,' zegt mam.
'Zullen we daar naartoe gaan?'

Een uurtje later stappen ze uit de auto,
Warner en zijn moeder.
Warner kijkt om zich heen.
'Ik zie nog niks,' zegt hij.
Zijn moeder glimlacht: 'Wacht maar.
Hier zetten we alleen de auto neer.
Daar is het, achter de bomen.'
Warner kan haast niet wachten.
Hij rent over het pad.
Het slingert tussen de bomen door.
En dan ziet hij het.
Er staat een groot kasteel.
Vier ronde torens heeft het.

Twee voor, twee achter.
Op alle torens wappert een vlag.
Om het kasteel ligt een gracht.
Over de gracht is een brug.
Het is een ophaalbrug.
Warner steekt zijn duim op naar mam.
'Dat hebben die ridders goed bedacht.
Bij een aanval kan de brug omhoog.'
'Ja,' zegt Warners moeder.
'Vroeger was er ook nog een muur.
Dat maakte een aanval zwaarder
voor de vijand.'
Warner stapt de brug op.
De zon schittert in het water
van de gracht.
Hard klinken zijn stappen
op de houten brug.
De deuren van de poort staan open.
Samen met mam loopt hij naar binnen.
Door de poort komen ze
op de binnenplaats.
'Daar waren de stallen,'
wijst zijn moeder.
'Met deze trap kunnen we de toren in.'
Ze gaat als eerste omhoog.
Warner gaat achter haar aan.

Op de trap is het heel donker.
Nergens is een raam.
'Wonen hier nog steeds ridders?'
Warners stem bibbert een beetje.
De lach van mam galmt in de toren.
'Nee, hoor!
Vroeger waren er ridders.
Nu niet meer.'

4. Een spannend verhaal over ridders

'Het is bedtijd!'
Warners vader staat op.
'Aah!'
Warner heeft nog geen zin.
Hij speelt nog lekker met zijn ridders.
Merel doet een spel met mam.
Zij is twee jaar ouder dan Warner.
Dus mag ze later naar bed.
'Kom op,' zegt pap.
'Dan vertel ik je een spannend verhaal.'
Dat is leuk!
Warner schuift zijn ridders in de doos.
Met grote stappen gaat hij de trap op.
Niet veel later ligt Warner in bed.
Pap komt op de rand zitten.
'Denk eens aan dat kasteel,
waar jij met mam was?
Heel vroeger woonde daar ridder Karel.
Hij was een heel oude ridder.
Die ridder had één zoon.
En dat was nog een baby.
Die baby heette Warner.'
'Net als ik!' zegt Warner blij.
Pap glimlacht: 'Net als jij.

Op een dag stierf de oude ridder.
En Warner bleef achter met zijn moeder.
Ze woonden samen in dat grote kasteel.
Dat ging lang goed.
Tot op een kwade dag ...'
Pap is even stil.
Zo maakt hij het verhaal extra spannend.
'... een roofridder het land in kwam.
Ridder Jannes heette hij.
Met zijn mannen zwierf hij rond.
Ze waren op zoek naar een goed kasteel.
Op een avond aten ze in een herberg.
Twee vrouwen daar kletsten net over
Warners kasteel.

Dat daar een vrouw alleen
met haar kind woonde.
Nog geen dag later
viel ridder Jannes aan.
Met zijn mannen pikte hij het kasteel in.
Warner en zijn moeder werden
uit het kasteel gezet.'
'Wat gemeen!' roept Warner.
'Nou!'
Pap vertelt verder.
'Maar Warner nam wraak.
Hij ging in de leer bij een ridder.

En hij werd zelf ook een ridder.
Elke dag oefende hij.
Net zo lang tot hij kon vechten
als de beste.
Toen reed hij naar het kasteel.
Hij wachtte tot het nacht was.
Als spook verkleed klopte hij aan.
Hij zei:
“Ik ben de geest van ridder Karel!
Ik wil mijn kasteel terug.”
Ridder Jannes schrok zo,
dat hij gillend het kasteel uit rende,
in zijn nachthemd.
Warner en zijn moeder keerden terug
naar hun kasteel.
En ze leefden nog lang en gelukkig.’
‘Mooi!’ zucht Warner.
Pap geeft hem een kus.
‘En nu lekker slapen!’

5. Vechten met een roofridder

Warner staat voor het kasteel.
Hij oefent met zijn zwaard.
Eerst heeft hij een pop van stro gemaakt.
Daarin kan hij prikken.
Zo leert hij goed te mikken.
Wat is zijn zwaard zwaar!
Maar Warner is heel erg sterk.
Hij zwaait zijn zwaard in een cirkel
boven zijn hoofd.
Eitje.
Hij doet het met gemak.
Hij oefent ook al heel lang.
Warner steekt zijn zwaard in de grond.
Hij voelt aan de spieren van zijn arm.
Heel grote ballen zijn het.
Het is tijd om aan te vallen!
Warner trekt zijn harnas aan.
Hij zet zijn helm op zijn hoofd.
De helm glanst in de zon.
Erop wappert een blauwe pluim.
'Waar is mijn paard?' roept Warner.
'Hier ben ik!' zegt het paard.
Het staat naast hem.
Een pratend paard?

Dat bestaat niet!
Nou ja.
Warner gaat in het zadel zitten.
'We doen een aanval op ridder Jannes.'
Het paard knikt.

'Pas je wel op?'
Warners moeder staat naast hem.
Ze heeft een jurk aan.
Op haar hoofd heeft ze een hoed.
Ze is een echte jonkvrouw.
'Ik val ridder Jannes aan,' zegt Warner.
'Hak hem in de pan,' antwoordt mam.
In galop rijdt Warner het kasteel uit.
Dat hij kon paardrijden,
dat wist hij niet.

Het is niet ver naar ridder Jannes.
Zijn kasteel kent hij goed.
Hij is er pas nog geweest.
Op de brug houdt Warner zijn paard stil.
'Ridder Jannes!
Kom je kasteel uit.
Ik daag je uit voor een gevecht!'
Warner hoort de echo van zijn stem.
Die kaatst tegen de muur van het kasteel.

Ridder Jannes komt naar buiten rennen.
'Ik geef me over!
Het kasteel is van jou!'
Mooi.
Zo hoort het ook.
Warner is er blij mee.

6. Warner weet het zeker

Met een schok gaat Warner rechtop zitten.
Hij kijkt om zich heen.
Hij is in zijn eigen kamer.
Zonlicht valt door een spleet
tussen de gordijnen.
Naast Warners bed tikt de wekker.
Het is zeven uur.
Nu snapt Warner het.
Hij heeft gedroomd!
Daarom waren er veel dingen gek.
Het paard dat kon praten.
Zijn moeder in een jurk,
en met een hoed op.
Het paardrijden was fijn.
Wat was hijzelf groot en sterk
in zijn droom!
Warner zucht.
Hij snapt goed waar zijn droom van komt.
Vast van het verhaal van zijn vader.
Daarin was ook een Warner.
En ook van het bezoek aan het kasteel.
Het kasteel van Karel zag er net zo uit.
Hij voelt eens aan zijn spieren.
Jammer.

Die zijn niet als in zijn droom.
Warner springt uit zijn bed.
Door zijn droom weet hij het zeker.
Hij wil later ridder worden.
Hoe het moet,
dat weet hij nog niet.
Maar hij moet en zal ridder worden.
Laten de kinderen in de klas maar lachen.
Hij trekt zijn kleren aan.
Hij trekt zijn speelgoedkist
onder zijn bed vandaan.
Daar haalt hij zijn beste zwaard uit.
Hij heeft ook nog een helm.
Die zet hij op zijn hoofd.
Zo gaat hij de trap af.

'Hé, ridder Warner!' roept zijn vader.
Warner steekt zijn hand op.
Hij groet zijn vader deftig.
Net als een echte ridder.
'Lust je een beschuit?'
vraagt zijn moeder.
'Lekker,' zegt Warner.
Zijn moeder tikt op zijn helm.
'Bij het ontbijt moet die af.
En je zwaard hoort in de gang.
Dat was bij echte ridders ook zo.

Geen wapens aan tafel.'
Warner knikt ernstig.
'Dat zal ik dan ook niet doen.
Want ik word later een echte ridder.
Dat weet ik zeker.'

7. Een dag voor ridders!

Warner praat er maar niet meer over.
Niet met de kinderen van de klas.
Niet met zijn ouders,
en zelfs niet met Abel.
Hij weet nu wel wat ze te zeggen hebben.
Dat het niet kan, ridder worden.
Hij laat ze maar.
Wel draagt hij zijn helm en zijn zwaard.
Thuis en op school.
Niemand zegt daar meer iets over.
Maar ze doen wel een beetje
alsof hij gek is.
Nu is hij op weg naar de winkel.
Hij moet brood kopen voor zijn moeder.
Op straat komt hij Esther tegen.
Ze woont een paar huizen verder.
Ze blijft staan.
'Hé, Warner!
Wil je nog steeds ridder worden?'
Warner haalt zijn schouders op.
Stom kind.
Ze denkt zeker dat ze grappig is.
'Het kan nu echt, hoor!'
Warner loopt door.

Hij doet net alsof hij haar niet hoort.
Dat is het beste.
Bij de bakker komt Abel net naar buiten.
'Ha, Warner!
Heb je het al gezien?
Je kunt nu echt ridder worden!'
Begint zijn beste vriend nu ook al?
'Ik moet brood kopen,' zegt Warner.
En hij gaat naar binnen bij de bakker.
Er zijn nog drie mensen voor hem.
Eén mevrouw heeft een heel lange lijst.
Vijf broden wil ze.
Eerst kijkt Warner naar de taarten.
Dan ziet hij een poster hangen.
Er staat een ridder op.
Warner loopt erheen.
Dan leest hij wat er op de poster staat.

Leren om ridder te worden.
Het kan echt!
Nu snapt Warner
wat Abel en Esther zeiden.
Ze waren hem niet aan het plagen.
Ze lazen de poster bij de bakker.
Warner maakt een sprongetje van plezier.
Eindelijk kan hij ridder worden!

8. Het is zover!

De ridderdag is op een grote wei.
Net buiten het dorp.
Er wapperen heel veel vlaggen.
De zon schijnt.
Van alle kanten komen kinderen aan.
Ze zijn op de fiets of lopend.
En ze willen allemaal ridder worden.
Warner grinnikt.
Nu vindt niemand het gek.
Er is een grote, houten poort.
Het lijkt net of die van een kasteel is.
Bij de poort kun je een kaartje kopen.
Op de kaart kun je stempels halen.
Met vier stempels word je tot
schildknaap benoemd.
Dat is al heel mooi.
Want je kunt pas op je twaalfde
schildknaap worden.
En als je achttien bent,
kun je ridder worden.
Abel, Merel, Warner
en mama kopen een kaart.
Ze lopen de wei op.
Merel en mam gaan samen.

En Warner en Abel ook.
Waar kun je stempels halen?
'Daar!' ziet Warner.
Er staan pony's.
Daarop mag je rijden.
En als je klaar bent,
krijg je een stempel.
Abel en Warner rennen erheen.
Ze zijn de eersten die op een pony mogen.
Warner gaat in het zadel zitten.
Het voelt net als in zijn droom.
Als een echte ridder
zit hij in zijn zadel.
De wind waait door zijn haren.
Wat is dit super!
Abel en Warner krijgen
hun eerste stempel.
Rustig wandelen ze nu over de wei.
Eens kijken wat er nog meer te doen is.
Dan ziet Warner een pop staan.
De pop is van stro.
Om de beurt mogen kinderen erop slaan.
Dat gaat met houten zwaarden.
Er staat iemand bij om te helpen.
Warner loopt eropaf.
'Waarom is het met houten zwaarden?'

nan geeft Warner een zwaard.
een ridders mogen
et echte zwaarden vechten.
ullie leren nog voor ridder.
Dan moet je dus met een
houten zwaard vechten.'
Dat begrijpt Warner.
Hij neemt het zwaard.
En dat steekt hij in de pop van stro.
Het is weer net als in zijn droom.

‘Hé, Warner, ga mee!’ roept Abel ineens.
Warner kijkt om.
En dan ziet hij het.
Daar lopen echte ridders over de wei.
Warner laat zijn zwaard vallen.
En hij rent eropaf.

9. Echte ridders

Op de wei is ook een toneel.
Er staat een groep bij die muziek maakt.
Erop gaan echte ridders klaar staan.
Wat zien ze er prachtig uit!
Hun harnassen glanzen in de zon.
Op hun helmen wapperen pluimen.
Eén van hen geeft een teken.
Dan stormen ze op elkaar af.
Hard kletteren hun zwaarden tegen elkaar.
De ridders schreeuwen hard bij elke klap.
Warner vergeet bijna adem te halen.
Zo mooi vindt hij het gevecht.
Dan is het klaar.
Zijn moeder komt naast hem staan.
'Mam, dit zijn toch echte ridders?'
Warner kijkt haar vragend aan.
'Nou en of!'
Ze vindt de ridders net zo gaaf als hij.
De ridders gaan één voor één
van het toneel.
Eén loopt vlak langs Warner.
Hij doet zijn helm af.
Warner ziet een druppel zweet
op zijn hoofd.

Ridder zijn is hard werken.
Dat ziet Warner zo.
'Meneer?'
De ridder blijft staan.
Hij doet intussen een handschoen uit.
Die hoort bij het harnas.
Er zit ook ijzer op.
'Is ridder uw beroep?' vraagt Warner.
De ridder knikt: 'Ja, dat klopt.'
Warner wil het echt zeker weten.
'Dus u verdient hier geld mee?'
De ridder schiet in de lach.
'Ja, zeker!
Ik hoor bij een groep.
Daar treden we mee op door het hele land.
We vechten als ridders.
We geven les in vechten met een zwaard.
En we laten zien hoe ridders leefden.
Ben je daar al geweest?'
De ridder wijst naar een paar tenten.
'Daar laten we van alles zien.
Wat ridders aten, hoe ze sliepen
en wat de vrouwen deden.'
'Ik wil later ridder worden,'
zegt Warner.
'Maar iedereen lacht me uit.'

De ridder aait even over Warners hoofd.
'Dat is dom.
Want je kunt ridder worden.
Ik ben het ook!'
Mam houdt haar toestel omhoog.
'Mag ik een foto maken van jullie samen?
Dan heeft Warner een bewijs.
Hij kan de foto dan op school laten zien.
Dan weten de kinderen dat het echt kan:
ridder worden!'
'Prima,' zegt de ridder.
En hij zet zijn helm op Warners hoofd.
En zo gaan ze samen op de foto:
Warner en de ridder.
En Warner weet het nu beter dan ooit:
hij wordt later ridder!

Wil je meer lezen over Sas die later agent wil worden op pagina 13?
Lees dan 'Actie aan de kust'. Sas gaat op vakantie met Lot en papa.
Ze gaan met de bus kamperen aan de kust.
Het wordt een vakantie vol spanning en actie.
Je kunt wel zien dat Sas later bij de politie wil!

In deze serie zijn de volgende Bikkels verschenen:

Ik wil later ridder worden
Actie aan de kust
De kattenkrant
Bang voor meisjes
Zingen op tv
De badauto
Een zomer met mama
De toversmid

LEESNIVEAU

	ME	ME	ME	ME	ME			
AVI	S	3	4	5	6	7	P	
CLIB	S	3	4	5	6	7	8	P

ridders

Toegekend door Cito i.s.m. KPC Groep

1e druk 2007

ISBN 978.90.276.7248.3
NUR 282

Illustraties: Hugo van Look
Vormgeving: Rob Galema
Uitgeverij Zwijsen B.V., Tilburg

Voor België:
Zwijsen-Infoboek, Meerhout
D/2007/1919/447